PIQUES & BROCHETTES

LAROUSSE

21 RUE DU MONTPARNASSE 75283 PARIS CEDEX 06

SOMMAIRE

N'hésitez pas à varier les plaisirs en changeant de légumes selon les saisons et le panier que vous rapportez du marché.

Mini-brochettes de légumes

POUR 12 MINI-BROCHETTES
PRÉPARATION : 20 MIN
CUISSON : 15 MIN

> 3 courgettes
> 1 poivron rouge
> 1 poivron jaune
> 2 gros oignons
> 12 tomates cerises (rouges et jaunes)
> 3 cuill. à soupe d'huile d'olive
> quelques brins de cerfeuil
> 190 g de pesto de basilic
> sel et poivre du moulin

1. Lavez les légumes et séchez-les avec du papier absorbant. Coupez les courgettes en rondelles d'environ 1 cm d'épaisseur. Coupez les poivrons en deux, ôtez les pépins et les membranes blanches, puis détaillez chaque moitié en lanières de 1 cm d'épaisseur. Épluchez les oignons, puis émincez-les.

2. Enfilez les légumes sur des mini-piques en bois. Dans une poêle, faites chauffer l'huile d'olive, puis faites dorer les légumes. Salez, poivrez, puis laissez cuire environ 10 minutes.

3. Ciselez le cerfeuil. Au moment de servir, parsemez-en les brochettes et dégustez avec du pesto froid.

Ces tomates caramélisées donneront un air de fête foraine à vos apéritifs !

Piques de tomates caramélisées au sésame

POUR 12 PIQUES

PRÉPARATION : 10 MIN

CUISSON : 5 MIN

> 12 tomates cerises
> 1 cuill. à soupe de graines de sésame

Pour le caramel

> 150 g de sucre en poudre

1. Enfilez chaque tomate cerise sur une pique en bois.

2. Préparez le caramel. Dans une petite casserole, versez le sucre et 3 ou 4 cuillerées à soupe d'eau, puis faites chauffer à feu doux jusqu'à ce que le sucre soit dissous et commence à dorer.

3. Retirez du feu et enrobez les tomates cerises de caramel, puis roulez-les dans les graines de sésame. Laissez refroidir et servez.

Mini-brochettes de champignons de Paris

POUR 12 MINI-BROCHETTES

PRÉPARATION : 20 MIN

CUISSON : 5 À 10 MIN

> 1 poivron vert
> 1 poivron rouge
> 500 g de petits champignons de Paris
> 2 œufs
> 2 cuill. à soupe de chapelure
> 1 cuill. à soupe de curry en poudre
> 1 cuill. à soupe de paprika en poudre
> huile végétale pour la friture
> sel et poivre du moulin

1. Coupez les poivrons en deux, ôtez les pépins et les membranes blanches, puis détaillez chaque moitié en dés. Coupez le pied terreux des champignons, lavez-les rapidement et essuyez-les.

2. Emplissez une grande casserole à fond épais au tiers d'huile et faites-la chauffer à 180 °C. Dans un saladier, battez les œufs, puis salez et poivrez. Répartissez la chapelure dans deux assiettes creuses. Dans la première, mélangez-la avec le curry, dans la seconde, mélangez-la avec le paprika.

3. Enfilez deux ou trois champignons sur des piques en bois en alternant avec les dés de poivron. Trempez-les dans les œufs battus, égouttez-les légèrement et roulez-les dans l'une ou l'autre des assiettes de chapelure. Plongez-les ensuite dans l'huile chaude et laissez-les dorer 1 ou 2 minutes. Égouttez sur du papier absorbant et servez.

La polenta est à la fois une préparation et la semoule de maïs qui la compose. Très utilisée en Italie, mais aussi dans beaucoup de régions françaises, elle est très facile à cuisiner. Vous pouvez la préparer à l'avance, mais il est conseillé de faire frire les cubes au dernier moment afin de conserver tout leur croustillant.

Mini-brochettes de polenta aux olives

POUR 12 MINI-BROCHETTES

PRÉPARATION : 10 MIN

CUISSON : 20 MIN

> 150 g d'olives vertes dénoyautées
> 200 g de polenta (semoule de maïs)
> 3 cuill. à soupe d'huile d'olive
> sel et poivre du moulin

1. Réservez 12 olives dans un bol. Portez à ébullition 75 cl d'eau salée. Versez-y la polenta et laissez cuire environ 7 minutes, sans cesser de remuer. Lorsque la préparation commence à épaissir, ajoutez le reste des olives, assaisonnez selon votre goût, puis continuez à mélanger jusqu'à ce que la préparation devienne compacte. Étalez-la en une couche de 2 cm d'épaisseur sur une feuille de papier sulfurisé ou sur une feuille de silicone en lissant bien la surface, puis laissez refroidir.

2. Découpez 24 petits cubes de polenta. Dans une poêle antiadhésive, faites chauffer l'huile d'olive, puis faites revenir les cubes de polenta 3 minutes sur toutes les faces, jusqu'à ce qu'ils soient bien dorés. Enfilez-les sur des piques en bois en alternant avec les olives réservées, puis servez.

Simples et rapides à préparer, ces brochettes hautes en couleur attireront tous les regards.

Mini-brochettes sucrées-salées

POUR 12 MINI-BROCHETTES

PRÉPARATION : 10 MIN

> 12 radis
> 120 g de chèvre frais un peu ferme
> 12 abricots secs
> poivre du moulin

1. Lavez les radis et ôtez leurs feuilles. Façonnez des boules de fromage de chèvre avec vos mains, puis roulez-les dans le poivre et réservez au frais.

2. Enfilez les radis, les abricots secs et les boules de fromage de chèvre sur des piques en bois ou sur des piques métalliques, puis servez.

Voici des sucettes salées qui feront l'unanimité ! Vous pouvez remplacer les graines par des fruits secs hachés.

Sucettes de chèvre aux graines

POUR 12 SUCETTES
PRÉPARATION : 15 MIN
RÉFRIGÉRATION : 1 H

> 125 g de chèvre frais
> 2 cuill. à soupe de crème fraîche épaisse
> 1 cuill. à soupe d'huile de noisette
> 60 g de mélange de graines (lin, tournesol, pavot, etc.)
> sel et poivre du moulin

1. Dans un saladier, travaillez le fromage de chèvre à la cuillère, puis incorporez la crème fraîche. Salez, poivrez et versez l'huile de noisette, puis mélangez bien le tout. Réservez au réfrigérateur pendant 1 heure.

2. Dans une assiette creuse, versez le mélange de graines. Formez à la main, avec la préparation au chèvre, des boulettes régulières de la taille d'une petite noix, puis roulez-les rapidement dans les graines. Plantez une petite pique en bois dans chaque boulette et servez.

Un grand classique dont vos invités ne se lasseront pas. Choisissez des tomates bien mûres.

Mini-brochettes à l'italienne

POUR 12 MINI-BROCHETTES

PRÉPARATION : 10 MIN

> 60 g de pistaches vertes émondées et non salées
> 12 mini-billes de mozzarella
> 1 cuill. à soupe d'huile d'olive
> 24 tomates cerises bien mûres
> sel et poivre du moulin

1. À l'aide d'un gros couteau, concassez grossièrement les pistaches et placez-les dans une assiette creuse. Disposez les billes de mozzarella dans un saladier, arrosez-les d'huile d'olive, puis roulez-les dans l'assiette de pistaches.

2. Enfilez les tomates cerises et les billes de mozzarella, en les alternant, sur des piques en bois. Assaisonnez de sel et de poivre, puis servez.

Dans cette recette, le melon doit être à température ambiante, afin que le mariage melon-jambon soit des plus harmonieux.

Brochettes de jambon cru, figues et melon

POUR 12 BROCHETTES

PRÉPARATION : 15 MIN

> 1 gros melon
> 6 tranches fines de jambon cru
> 6 figues fraîches
> 1 petit bouquet de menthe fraîche
> sel et poivre du moulin

1. Coupez le melon en deux et épépinez-le. À l'aide d'une cuillère à melon, prélevez des billes dans sa chair et réservez-les.

2. Coupez les tranches de jambon cru en trois et les figues en quatre.

3. Sur des piques en bois, alternez billes de melon, morceaux de jambon, de figues et feuilles de menthe. Salez et poivrez, puis servez.

Grâce à son goût léger et à sa consistance crémeuse, l'avocat est l'un des aliments les plus agréables à déguster.

Mini-brochettes de bacon et olives, crème d'avocat

POUR 12 MINI-BROCHETTES ET VERRINES

PRÉPARATION : 25 MIN

RÉFRIGÉRATION : 1 H

Pour la crème d'avocat

> 2 avocats
> 2 yaourts à la grecque
> 15 cl de crème fraîche liquide
> le jus de 1 citron
> sel et poivre du moulin

Pour les mini-brochettes

> 6 tranches de bacon
> 1 avocat
> 12 olives violettes dénoyautées
> 1 filet d'huile d'olive
> 1 cuill. à café de quatre-épices
> sel et poivre du moulin

1. Préparez la crème d'avocat. Coupez les avocats en deux, retirez les noyaux et la peau, puis coupez la chair en morceaux. Dans le bol d'un robot, rassemblez les morceaux d'avocat, les yaourts, la crème liquide et le jus de citron. Salez et poivrez, puis mixez le tout jusqu'à obtention d'une crème lisse et homogène. Répartissez-la dans des verrines et réservez au réfrigérateur pendant 1 heure.

2. Pendant ce temps, confectionnez les mini-brochettes. Divisez les tranches de bacon en deux. Coupez l'avocat en deux, retirez le noyau et la peau, puis coupez la chair en dés de la taille des olives. Dans une poêle antiadhésive, faites dorer le bacon des deux côtés. Sur des piques en bois, enfilez les olives, les dés d'avocats et les demi-tranches de bacon grillées. Salez, poivrez, arrosez d'huile d'olive, parsemez du quatre-épices et servez ces mini-brochettes accompagnées de la crème d'avocat.

La pâte de coing associée au fromage basque est un délice, alors pourquoi s'en priver?

Piques du Pays basque

POUR 12 PIQUES

PRÉPARATION : 15 MIN

> 200 g de pâte de coing
> 100 g de manchego ou d'ossau-iraty
> 6 tranches fines de viande des Grisons
> 1 cuill. à café de piment d'Espelette

1. Coupez la pâte de coing en trois dans l'épaisseur, puis, à l'aide d'un emporte-pièce, découpez des étoiles. Répétez l'opération avec le manchego ou l'ossau-iraty et découpez-les en triangles.

2. Divisez les tranches de viande des Grisons en deux. Superposez une tranche de viande des Grisons, un morceau de pâte de coing et de fromage, puis maintenez l'ensemble avec une pique de votre choix et servez.

Une façon originale de déguster des ravioles : un régal !

Brochettes de bresaola et de ravioles

POUR 12 BROCHETTES
PRÉPARATION : 10 MIN
MARINADE : 1 H
CUISSON : 10 MIN

> 24 tranches de bresaola
> le jus de 2 citrons
> 3 cuill. à soupe d'huile d'olive
> huile végétale pour la friture
> 60 ravioles du Dauphiné
> 2 cuil. à soupe de farine
> sel et poivre du moulin

1. Sur une grande assiette plate, déposez les tranches de bresaola en rosace et arrosez-les du jus de citron et de l'huile d'olive. Salez et poivrez, puis réservez au frais pendant 1 heure.

2. Emplissez une grande casserole à fond épais au tiers d'huile et faites-la chauffer à 180 °C. Farinez le plan de travail, puis séparez les ravioles et passez-les rapidement dans la farine. Plongez-les dans l'huile et laissez-les dorer 3 minutes environ. Égouttez-les sur du papier absorbant, puis assaisonnez légèrement de sel et de poivre. Enfilez-les sur des brochettes en bois, en alternant avec des tranches de bresaola marinées. Servez sans attendre pour éviter que les ravioles ne perdent de leur croustillant.

Pour obtenir une omelette plus épaisse, repliez-la sur elle-même lorsqu'elle est encore baveuse et finissez de la cuire à feu doux.

Tortilla aux pommes de terre, aux oignons et au chorizo

POUR 12 PIQUES
PRÉPARATION : 15 MIN
CUISSON : 10 MIN

> 100 g de chorizo
> 1 oignon
> 1 pomme de terre
> 4 cuill. à soupe d'huile d'olive
> 3 œufs
> sel et poivre du moulin

1. Coupez le chorizo en tranches fines. Épluchez l'oignon et émincez-le, puis pelez la pomme de terre et coupez-la en fines rondelles. Portez une grande casserole d'eau salée à ébullition, plongez-y la pomme de terre et l'oignon, puis laissez cuire pendant 5 minutes. Égouttez et réservez.

2. Dans une poêle, faites chauffer l'huile d'olive et faites revenir la pomme de terre et l'oignon pendant 2 minutes.

3. Dans un saladier, battez les œufs, assaisonnez légèrement de sel et de poivre, puis versez-les dans la poêle, sur la pomme de terre et l'oignon. Laissez cuire à feu doux pendant 5 minutes de chaque côté, en retournant la tortilla à mi-cuisson. Découpez-la en dés, puis servez tiède ou froid, avec des piques en bois.

Voici un amuse-bouche idéal pour vos soirées d'hiver : une version finger food de la tartiflette !

Piques de pommes de terre au reblochon et au bacon

POUR 12 PIQUES
PRÉPARATION : 20 MIN
CUISSON : 25 À 30 MIN

> 6 pommes de terre grenailles
> 5 tranches de bacon
> 1/4 de reblochon fermier
> sel et poivre du moulin

1. Préchauffez le four à 200 °C (therm. 6-7). Portez à ébullition une grande casserole d'eau salée, puis plongez-y les pommes de terre et laissez-les cuire pendant environ 15 minutes, jusqu'à ce qu'elles soient bien tendres. Égouttez-les et laissez-les refroidir. Épluchez-les, puis coupez-les en deux dans la longueur.

2. Divisez les tranches de bacon en deux et détaillez le reblochon en douze morceaux. Placez un morceau de reblochon sur chaque moitié de pomme de terre, puis enrobez-les avec les demi-tranches de bacon. Piquez le tout d'une pique en bois. Assaisonnez légèrement de sel et de poivre, puis enfournez pour 5 à 10 minutes, jusqu'à ce que le bacon soit cuit et que le reblochon ait fondu. Servez bien chaud.

Ce mélange de céleri, jambon, fromage et herbes s'avère particulièrement sain et gourmand.

Brochettes de céleri-rave au jambon et au fromage

POUR 12 BROCHETTES

PRÉPARATION : 20 MIN

CUISSON : 30 MIN

> 1/2 céleri-rave
> le jus de 1 citron
> 1 bouquet de persil
> 1 bouquet de ciboulette
> 1 bouquet de cerfeuil
> 200 g de jambon cuit ou de jambonneau
> 200 g de mimolette
> 3 cuill. à soupe d'huile d'olive
> sel et poivre du moulin

1. Épluchez le céleri et coupez-le en dés. Portez à ébullition une grande casserole d'eau salée, puis versez le jus de citron. Plongez les morceaux de céleri et laissez cuire pendant 20 minutes. Dans une passoire, égouttez le céleri et réservez. Hachez le persil, la ciboulette et le cerfeuil.

2. Coupez le jambon ou le jambonneau et la mimolette en dés. Sur des piques en bois, enfilez un morceau de céleri, un morceau de mimolette et un morceau de jambon. Dans une poêle, faites chauffer l'huile d'olive, puis faites revenir les brochettes 5 minutes en les retournant régulièrement. Roulez-les dans les herbes hachées, assaisonnez légèrement de sel et de poivre, puis servez.

Piques de canard fumé et gelée d'agrumes

POUR 12 PIQUES
PRÉPARATION : 40 MIN
CUISSON : 5 MIN
REPOS : 2 H

> 8 oranges
> 2 pamplemousses
> 3 feuilles de gélatine
> 100 g de sucre en poudre
> 1 cuill. à café de cannelle en poudre
> 2 étoiles de badiane (anis étoilé)
> 3 grains de poivre
> 3 clous de girofle
> 1 pincée de gingembre en poudre
> 12 tranches de magret de canard fumé
> 3 brins de coriandre

1. Pressez le jus de 6 oranges. Pelez les oranges restantes et les pamplemousses à vif, puis coupez-les en quartiers.

2. Faites tremper les feuilles de gélatine dans un bol d'eau froide, puis égouttez-les. Tapissez un moule à cake d'une feuille de papier sulfurisé. Dans une casserole, rassemblez le jus d'orange, le sucre et les épices, puis portez le tout à ébullition. Retirez du feu, laissez infuser quelques minutes, puis filtrez le sirop obtenu. Incorporez la gélatine jusqu'à complète dissolution. Versez un peu de la préparation dans le fond du moule à cake et laissez tiédir.

3. Disposez des quartiers d'orange et de pamplemousse dans le moule, recouvrez avec un peu de gelée et continuez jusqu'à épuisement des ingrédients. Laissez tiédir, puis réservez au frais pendant 2 heures.

4. Démoulez la gelée d'agrumes et découpez-la en dés. Enfilez une tranche de canard fumé, une feuille de coriandre et un dé de gelée d'agrumes sur chaque pique. Réservez au frais jusqu'au moment de servir.

Variez les plaisirs et faites mariner le poulet dans du citron, de l'huile et du lait de coco.

Roulés de poulet au fromage

POUR 12 PIQUES

PRÉPARATION : 15 MIN

CUISSON : 10 MIN

> 4 escalopes de poulet très fines
> 2 boules de mozzarella de 125 g chacune
> 1 cuill. à café de piment d'Espelette
> 1 cuill. à soupe d'huile d'olive
> sel du moulin

1. Sur le plan de travail, aplatissez les escalopes de poulet au rouleau à pâtisserie, puis égalisez les bords. Détaillez la mozzarella en bâtonnets. Disposez-en le quart sur chaque escalope, salez et saupoudrez de piment d'Espelette. Roulez les escalopes très serrées, puis maintenez-les avec un ou deux bâtonnets en bois.

2. Dans une poêle, faites chauffer l'huile d'olive, puis poêlez les 4 rouleaux de poulet sur toutes leurs faces pendant 10 minutes, jusqu'à ce qu'ils soient bien dorés et cuits au centre.

3. Coupez chaque rouleau en 3 tronçons et maintenez ceux-ci avec des piques en bois. Assaisonnez de sel et de piment d'Espelette selon votre goût, puis servez aussitôt.

Voici une version quelque peu européanisée des fameux yakitoris japonais. Dégustez ces brochettes bien chaudes pour profiter du coulant du fromage et n'hésitez pas à en changer, selon vos goûts : comté, cantal, mimolette...

Yakitoris bœuf-fromage

POUR 12 BROCHETTES
PRÉPARATION : 15 MIN
MARINADE : 30 MIN
CUISSON : 5 MIN

- > 300 g d'emmenthal
- > 24 tranches de carpaccio de bœuf
- > 1 cuill. à soupe d'huile d'olive

Pour la marinade

- > 3 cuill. à soupe de sauce soja
- > 1 cuill. à soupe de sucre en poudre
- > 1 cuill. à soupe de vinaigre de riz
- > 1 cuill. à soupe de miel
- > 1 cuill. à soupe de citron vert
- > sel et poivre du moulin

1. Préparez la marinade. Dans une assiette creuse, rassemblez tous les ingrédients et mélangez-les soigneusement. Plongez-y les tranches de carpaccio et laissez mariner 30 minutes.

2. Égouttez les tranches de carpaccio sur du papier absorbant. Détaillez le fromage en dés d'environ 1 cm de côté, puis enfilez-en 5 par brochette en bois. Enveloppez-les de 2 tranches de carpaccio.

3. Dans une poêle antiadhésive, faites chauffer l'huile d'olive, puis poêlez les brochettes pendant 5 minutes sur toutes les faces afin que le fromage fonde uniformément. Servez ces brochettes sans attendre accompagnées de sauce soja sucrée.

Mini-brochettes de porc à l'ananas

POUR 12 MINI-BROCHETTES

PRÉPARATION : 25 MIN

MARINADE : 30 MIN

CUISSON : 15 MIN

> 400 g de filet de porc
> 2 ananas Victoria (ou 1 gros)
> 3 cuill. à soupe de graines de sésame
> 4 cuill. à soupe d'huile d'olive
> 2 cuill. à soupe de sauce soja
> 2 cuill. à soupe de sucre en poudre
> 1 petit bouquet de coriandre
> poivre du moulin

1. Coupez le filet de porc en dés. Enlevez la base et le sommet des ananas, puis ôtez leur écorce et détaillez leur chair en dés, en ôtant la partie centrale et en recueillant leur jus. Dans un saladier, versez le jus d'ananas réservé, ajoutez les graines de sésame, les dés de viande, puis assaisonnez d'un tour de moulin à poivre et réservez au réfrigérateur pendant 30 minutes.

2. Enfilez alternativement des morceaux de viande et d'ananas sur des piques en bois. Dans une poêle, faites chauffer l'huile d'olive à feu moyen, puis déposez les mini-brochettes et faites-les cuire pendant 5 minutes en les retournant régulièrement. Versez la sauce soja et le sucre, puis prolongez la cuisson de 10 minutes.

3. Parsemez les mini-brochettes de feuilles de coriandre et servez chaud.

Cette recette est une version de la saltimbocca italienne vue de l'autre côté des Alpes !

Saltimboccas au beaufort

POUR 12 PIQUES

PRÉPARATION : 20 MIN

CUISSON : 15 MIN

> 6 tranches de jambon cru
> 100 g de beaufort
> 4 escalopes de veau très fines
> 1 petit bouquet d'estragon
> 10 g de beurre
> 1/2 cuill. à soupe d'huile d'olive
> 10 cl de vin blanc
> sel et poivre du moulin

1. Divisez les tranches de jambon en deux. Détaillez le beaufort en petits morceaux. Coupez les escalopes de veau en trois. Déposez, au centre de chacune, une demi-tranche de jambon cru, 2 ou 3 feuilles d'estragon et un morceau de beaufort. Roulez le tout, puis attachez les saltimboccas avec de la ficelle de cuisine.

2. Dans une poêle, faites chauffer le beurre et l'huile d'olive, puis faites dorer les saltimboccas. Ajoutez le vin et prolongez la cuisson de 6 minutes. Retirez du feu et assaisonnez selon votre goût. Enlevez la ficelle, plantez une pique en bois dans chaque saltimbocca et servez.

Vous vous demandiez comment déguster des club-sandwichs en une seule bouchée ?

Club-sandwichs

POUR 12 PIQUES

PRÉPARATION : 25 MIN

> 24 tranches de pain de mie
> 3 tranches de saumon fumé
> 3 tranches de jambon blanc
> 3 tranches fines d'emmenthal
> quelques brins d'aneth
> 3 cuill. à café de fromage frais à tartiner
> 10 g de beurre demi-sel
> 3 grandes feuilles de laitue
> sel et poivre du moulin

1. Préchauffez le gril du four. Déposez les tranches de pain de mie sur une plaque de cuisson et faites griller le dessus des tranches environ 3 minutes. Laissez-les refroidir, puis, à l'aide d'emporte-pièce de votre choix, découpez 24 paires de formes différentes dans le pain grillé. Coupez les tranches de saumon, de jambon et d'emmenthal en deux. Ciselez les brins d'aneth.

2. Tartinez de fromage frais le côté non grillé des 12 premières formes de pain de mie, parsemez d'aneth, salez, poivrez, puis déposez une demi-tranche de saumon fumé sur 6 d'entre elles. Refermez les sandwichs avec les 6 autres tranches, et maintenez le tout avec des piques en bois. Tartinez légèrement de beurre salé les 12 autres formes, poivrez, puis déposez sur 6 d'entre elles une demi-tranche de jambon, une demi-feuille de laitue ainsi qu'une demi-tranche de fromage, puis refermez les sandwichs avec les 6 tranches restantes. Maintenez le tout avec des piques en bois. Vous pouvez conserver ces club-sandwichs au frais jusqu'au moment de servir.

Piques de courgettes, truite fumée et gingembre

POUR 12 PIQUES

PRÉPARATION : 20 MIN

MARINADE : 20 MIN

> 125 g de filet de truite fumée
> le jus de 1 pamplemousse
> 2 courgettes
> 5 cm de racine de gingembre frais
> poivre du moulin

1. Découpez la truite en lanières et disposez celles-ci dans un plat creux. Arrosez du jus de pamplemousse, poivrez et laissez mariner au réfrigérateur pendant 20 minutes.

2. Faites chauffer une casserole d'eau salée. Rincez soigneusement les courgettes à l'eau claire. Détachez des bandes de peau à l'aide d'un couteau Économe, puis découpez-y des petits disques avec des ciseaux. Jetez les petits disques de peau de courgette dans l'eau bouillante et faites-les cuire 2 minutes. Égouttez-les sur du papier absorbant. Pelez le gingembre et détachez-en des pétales à l'aide du couteau Économe.

3. Enfilez alternativement les pétales de gingembre, les ronds de peau de courgette et les morceaux de truite sur des petites piques, puis servez.

Le thon fumé remplace avantageusement le saumon fumé et il est également riche en oméga-3.

Piques de thon fumé, crème et petites pousses

POUR 12 PIQUES
PRÉPARATION : 10 MIN

> 200 g de thon fumé
> 3 cuill. à soupe de crème fraîche épaisse
> 1 boîte de petites pousses (de radis, par exemple)
> poivre du moulin

1. Coupez le thon fumé en morceaux. Étalez sur chacun un peu de crème épaisse, puis parsemez de petites pousses et terminez par un deuxième morceau de thon.

2. Maintenez l'ensemble avec une pique, assaisonnez d'un tour de moulin à poivre et servez.

D'autres poissons fermes comme la lotte et le thon se prêtent aussi bien à cette recette. Préférez toutefois le thon blanc ou l'albacore au thon rouge, qui est une espèce menacée.

Piques d'espadon et chutney de mangue

POUR 12 PIQUES
PRÉPARATION : 10 MIN
CUISSON : 15 MIN

> 1 pavé d'espadon de 300 g
> le jus de 1 citron
> 1 cuill. à soupe d'huile d'olive
> sel du moulin

Pour le chutney de mangue

> 1 mangue bien mûre
> 3 cuill. à soupe de vinaigre de vin
> 1 cuill. à soupe de cassonade
> 1/2 cuill. à café de quatre-épices
> 1 pincée de piment (facultatif)

1. Préparez le chutney de mangue. Coupez la mangue en deux, retirez le noyau et la peau, puis coupez la chair en dés. Dans une petite casserole, rassemblez-les avec le vinaigre, la cassonade, le quatre-épices et, éventuellement, le piment. Faites cuire le tout 10 minutes à feu doux sans cesser de remuer jusqu'à obtention d'une confiture. Laissez refroidir.

2. Découpez le poisson en cubes de 2 cm de côté et mettez ceux-ci dans un bol. Arrosez du jus de citron et salez. Dans une poêle antiadhésive, faites chauffer l'huile d'olive, puis faites griller les morceaux de poisson à feu vif 30 secondes de chaque côté. Piquez les dés de thon avec de petites fourchettes et servez-les avec le chutney de mangue.

Une petite note fruitée et acidulée qui apportera fraîcheur et légèreté à vos apéritifs.

Piques de pétoncles aux noisettes et physalis

POUR 12 PIQUES

PRÉPARATION : 10 MIN

CUISSON : 10 MIN

> 25 g de noisettes décortiquées
> 1 cuill. à soupe d'huile d'olive
> 12 pétoncles
> 12 physalis
> sel et poivre du moulin

1. Placez les noisettes décortiquées dans le bol d'un robot et mixez-les grossièrement, puis, dans une poêle antiadhésive, faites-les griller à sec.

2. Dans une autre poêle, faites chauffer l'huile d'olive, puis faites dorer les pétoncles pendant 3 minutes de chaque côté. Assaisonnez de sel et de poivre. Roulez les pétoncles dans les noisettes grillées, puis enfilez-les avec les physalis sur des piques en bois.

Cette recette peut tout aussi bien être réalisée avec des cubes de filet de porc.

Mini-brochettes de saint-jacques au chorizo

POUR 12 MINI-BROCHETTES

PRÉPARATION : 15 MIN

CUISSON : 5 MIN

> 12 noix de saint-jacques parées
> 2 cuill. à soupe d'huile d'olive
> 3 cuill. à soupe de jus d'orange
> 120 g de chorizo doux
> poivre du moulin

1. Séchez les noix de saint-jacques avec du papier absorbant, puis mettez-les dans un bol avec l'huile d'olive et le jus d'orange. Coupez le chorizo en 24 tranches très fines.

2. Sur des piques en bois, enfilez chaque noix de saint-jacques entre deux tranches de chorizo. Dans une poêle antiadhésive, faites griller les mini-brochettes 30 secondes de chaque côté. Assaisonnez d'un tour de moulin à poivre, puis servez.

Rien de tel que ces acras de crevettes pour donner une touche exotique à vos apéritifs !

Acras de crevettes

POUR 24 ACRAS

PRÉPARATION : 30 MIN

CUISSON : 25 MIN

> 200 g de pommes de terre
> 1/2 bouquet de persil
> 1/2 bouquet de menthe
> 150 g de crevettes décortiquées
> 200 g de filets de cabillaud
> 1 grosse pincée de piment de Cayenne
> 1 œuf
> huile végétale pour la friture
> 50 g de farine
> sel du moulin

1. Pelez les pommes de terre, puis faites-les cuire 20 minutes dans une grande casserole d'eau salée. Écrasez-les à la fourchette ou au presse-purée. Hachez finement le persil et la menthe.

2. Dans le bol d'un robot, mixez les crevettes et les filets de cabillaud. Ajoutez le piment de Cayenne, le persil et la menthe, l'œuf entier, puis assaisonnez de sel et mixez le tout à nouveau 30 secondes. Versez la préparation dans un saladier, puis incorporez la purée de pommes de terre. Formez des petites boules de pâte à la main de la dimension d'une noix.

3. Emplissez une grande casserole à fond épais au tiers d'huile et faites chauffer à 180 °C. Roulez les boules de pâte dans la farine et faites-les frire 2 ou 3 minutes. Servez chaud avec des piques en bois.

Dans cette recette, les brochettes sont chaudes, mais elles sont tout aussi délicieuses servies froides.

Brochettes de gambas

POUR 12 BROCHETTES
PRÉPARATION : 20 MIN
MARINADE : 30 MIN
CUISSON : 15 MIN

> 1 concombre d'environ 200 g
> 2 yaourts nature ou 100 g de fromage blanc
> 24 gambas
> 3 citrons verts
> 3 cuill. à soupe d'huile d'olive
> sel et poivre du moulin

Pour la marinade

> le jus de 3 citrons verts
> 3 cuill. à soupe de curry en poudre

1. Lavez le concombre, coupez-le en gros dés et hachez ceux-ci au robot. Laissez égoutter 5 minutes dans une passoire.

2. Dans un saladier, mélangez le concombre au yaourt ou au fromage blanc. Salez, poivrez, puis réservez au frais.

3. Préparez la marinade. Dans un plat creux, mélangez le jus de citron vert et le curry, puis assaisonnez d'un tour de moulin à poivre. Ajoutez les gambas, arrosez-les de marinade, puis laissez reposer 30 minutes en les retournant régulièrement.

4. Coupez les 3 citrons verts en quatre, puis enfilez 2 gambas et 1 morceau de citron sur des piques en bois.

5. Dans une poêle, faites chauffer l'huile d'olive, puis faites cuire les brochettes pendant 10 minutes en les retournant à mi-cuisson. Ajoutez le jus de la marinade et prolongez la cuisson de 3 minutes. Servez les brochettes de gambas avec la sauce au concombre.

Piques de moules panées

POUR 12 PIQUES
PRÉPARATION : 30 MIN
CUISSON : 20 MIN

> 3 l de moules
> 2 cuill. à soupe d'huile d'olive
> 2 échalotes
> 1/2 bouquet de persil
> 1/2 bouquet de thym frais
> 1 verre de vin blanc
> 2 œufs
> 100 g de farine
> 200 g de chapelure
> huile de tournesol pour la friture

Pour l'aïoli

> 3 gousses d'ail
> 1 jaune d'œuf
> le jus de 1/2 citron
> 1 pincée de curcuma
> 25 cl d'huile d'olive
> sel et poivre du moulin

1. Préparez l'aïoli. Pelez les gousses d'ail, puis pilez-les. Dans le bol d'un robot, réunissez le jaune d'œuf, le jus de citron, l'ail et le curcuma, puis mixez le tout 5 secondes. Continuez de mixer en versant lentement l'huile d'olive, jusqu'à obtention d'une mayonnaise épaisse et crémeuse. Salez, poivrez, puis réservez au frais.

2. Grattez et ébarbez les moules. Rincez-les abondamment. Jetez celles qui sont cassées ou ouvertes.

3. Pelez les échalottes, puis hachez-les, ainsi que le persil et le thym. Dans une grande cocotte, faites chauffer l'huile d'olive, puis faites revenir l'échalote 5 minutes à feu doux. Ajoutez le persil et le thym, puis versez le vin blanc. Déposez les moules et faites-les cuire à feu doux jusqu'à ce qu'elles s'ouvrent. Égouttez-les et retirez la chair des coquilles. Enfilez-les cinq par cinq, bien serrées, sur des petites piques.

4. Dans un saladier, battez les œufs. Trempez les brochettes de moules dans la farine, puis dans les œufs battus et la chapelure. Faites chauffer une casserole à fond épais emplie au tiers d'huile, puis faites frire les moules 4 minutes. Égouttez-les sur du papier absorbant. Servez bien chaud avec l'aïoli.

Direction éditoriale : Véronique de Finance-Cordonnier
Édition : Marion Pipart
Direction artistique : Emmanuel Chaspoul
Réalisation : Belle Page, Boulogne
Couverture : Véronique Laporte
Fabrication : Annie Botrel

Crédits photographiques : p. 26, 27, 49, 52, 53 : Fabrice Besse © coll. Larousse (Stylisme : Noëmie André) ; p. 5, 18, 19, 38, 39, 57 : Caroline Faccioli © coll. Larousse (Stylisme : Sabine Paris) ; p. 11, 14-17, 21, 24, 25, 29, 35, 37, 43 : Marie-José Jarry © coll. Larousse (Stylisme : Bérengère Abraham) ; p. 8, 9, 31, 33, 44, 45, 55, 59 : Massimo Pessina © coll. Larousse (Stylisme : Rosalba de Magistris) ; p. 7, 13, 23, 41, 47, 50, 51 : Amélie Roche © coll. Larousse (Stylisme : Manuella Chantepie).

L'éditeur remercie pour le prêt de linge et d'objets : ASA (www.asa-selection.com), Coming B (wwwcomingb.fr), Fleux, 39 et 52 rue sainte Croix de la Bretonnerie 75004 Paris (01 42 78 27 20), Léonardo (www.leonardo.de), Montgolfier (wwwmontgolfier.fr), Linge au Cœur (www.lingeaucoeur.com), Ressources (www.ressources-peinture.com), Emery (www.emeryetcie.com), Villa Paris (01 42 74 07 05), La Cabane de l'Ourse (www.lacabanedelourse.com), La Forge Subtile, 11 rue de l'odéon 75006 Paris (01 40 51 09 30), Mis en Demeure (www.misendemeure.com), La Maison des Rêves (www.maisondesreves.com), La Compagnie Française d'Orient et de Chine (www.cfoc.fr), Jeannine Cros (01 45 48 00 67), Clotilde Buschini (01 45 44 30 11), Caravane (www.caravane.fr), Wooden (www.woodenlist.com) et Mme Mylène Demongeot pour le prêt de la brocante (www.mylene-demongeot.fr).
Et l'éditeur remercie tout particulièrement Véronique Jean pour sa participation efficace.

ISBN : 301-0-00-000277-2

Pour les Éditions Larousse, le principe est d'utiliser des papiers composés de fibres naturelles, renouvelables, recyclables et fabriqués à partir de bois issus de forêts qui adoptent un système d'aménagement durable. En outre, les Éditions Larousse attendent de leurs fournisseurs de papier qu'ils s'inscrivent dans une démarche de certification environnementale reconnue.

Photogravure Turquoise, Émerainville
Imprimé en Chine par Leo Paper Products
Dépôt légal : septembre 2010
304 605/01-11011869-avril 2010